1. Nueve días... con San Benito

GUILLERMO GÁNDARA E., SSP

Nueve días de Oración
CON SAN BENITO

IV Edición

Primera edición, 2012
4ª edición, 2015

Calle Alba 1914 - San Pedrito, Tlaquepaque, Jal.

Impreso y hecho en México
Printed and made in Mexico

ISBN: 978-607-7649-55-7

UNA MEDALLA ESPECIAL

Felicidades por concederte unos momentos de oración en honor de san Benito, "*Nueve días de oración con san Benito*". Desecha de tu mente la idea de tener una obra que te hablará de brujería, o de una Medalla con poderes mágicos y llena de misterios. ¡No! La Medalla contiene el mensaje cristiano porque está centrada en la cruz de Cristo que simboliza la pasión salvadora de nuestro Señor Jesucristo, que te ama, se entrega por ti con plena libertad y te salva venciendo el pecado y la muerte y te participa de su resurrección; por lo tanto, otro tema no existe en la cruz de san Benito.

Harás un recorrido de nueve días de oración a partir de la Biblia, con la ayuda de algunos pensamientos de san Benito propuestos por el Papa san Gregorio Magno y sobre la Medalla. El objetivo es que logres consolidar una vida cristiana auténtica y des mayor testimonio social.

Dice el Papa san Gregorio Magno, que san Benito intercederá ante el Padre Celestial porque "sigue brillando hasta el día de hoy por sus milagros, cuando lo merece la fe de quienes los piden".

GUILLERMO GÁNDARA E., SSP

ORIGEN DE LA CRUZ DE SAN BENITO

El Papa Benedicto XIV

El 12 de marzo de 1742 concedió gracias especiales para los devotos de la Cruz de san Benito, siempre con las condiciones especiales de confesarse y recibir la Eucaristía y hacer actos de caridad, como visitar enfermos y orar por las intenciones del Papa.

Algunas preguntas y respuestas sobre la medalla

¿Tiene algún misterio la cruz de san Benito por sí sola? ¡Claro que no!

¿De dónde le viene su importancia? De la cruz de Cristo y todo lo que significa para el cristiano.

La cruz es una oportunidad para invocar la protección de Dios por Jesucristo su Hijo y por la presencia o intercesión de san Benito.

¿Qué es lo más importante?

Llevando la medalla de san Benito, recuérdate la importancia de la cruz, del primer y único mandamiento, "ama a

Dios y ama a tu prójimo". Esto es lo fundamental de tu vida cristiana.

Si la medalla la utilizas como amuleto, sabes que éste no es su fin y si lo haces, no estás dentro del catolicismo.

Frases de la medalla de san Benito:

La medalla es una manera de invocar a Dios para que te libere de las tentaciones que continuamente el mal te presenta, a través de hechos o personas, o las que tú produces y aceptas.

Portar la medalla que contiene la cruz de Cristo y la imagen de san Benito es un compromiso serio con Cristo, signo de la vida y entrega, es decir, te estás diciendo a ti mismo, quiero triunfar sobre el mal y el pecado como Cristo, prometo promover el bien y el amor cristiano como san Benito, y también porque llevas la cruz y la imagen de san Benito que merecen respeto.

El Papa san Gregorio Magno, al narrar la vida de san Benito, nos dice que el santo utilizaba la cruz invocando a nuestro Señor como signo de purificación de los sentidos. Se cuenta que en una ocasión quisieron darle veneno y con la señal de la cruz y Dios le manifestó el cuidado que tiene por quien lo ama.

Cuando orientaba hacia la santidad de vida cristiana a quien era perturbado por el mal, le pedía: “Haga la señal de la cruz sobre su corazón”, y podríamos agregarle las palabras: “Vete Satanás de mi vida, en el nombre del Padre, del Hijo y del Espíritu Santo”. Y si quieres cambiarle el nombre de Satanás por otra palabra, puedes decir:

Señor Jesús, por tu Santa Cruz siempre optaré por el bien en el nombre del Padre, del Hijo y del Espíritu Santo.

Las investigaciones acerca de la cruz de san Benito nos llevan hasta su origen.

El Papa san Gregorio escribió la vida y ahí se narra que utilizaba la cruz como signo de salvación, de verdad y purificación de los sentidos.

La medalla con la cruz y la imagen del santo aparecen más tarde, siglo XII o antes, porque se ha descubierto que en los conventos benedictinos de la antigüedad estaba pintada la cruz sobre los techos.

En una biblioteca benedictina se encontró la explicación de las palabras latinas que están en la medalla y que veremos enseguida.

Así llegamos al mes de marzo del año 1742 cuando el Papa Benedicto XIV aprobó el uso de la medalla que había sido tachada de supersticiosa.

En el siglo XIX la abadía benedictina de san Pablo de Roma, después de serias investigaciones sobre la medalla, le dieron más difusión y los Superiores de los mismos Padres Benedictinos de todo el mundo, reunidos en Montecasino, la llevaron a todos los países.

Explicación de la medalla:

Al frente de la medalla aparece la figura de San Benito sosteniendo dos cosas. Sostiene

en su mano derecha una cruz (a la cual la tradición le adjudica un gran amor por parte del monje, y en su mano izquierda el libro de las Reglas, con la oración rodeando la figura del santo: Eius in óbitu nostro preséntia muniámur: “A la hora de nuestra muerte seamos protegidos por su presencia”. (Oración de la Buena Muerte). Benito es el patrón de la buena muerte. En el fondo de la imagen aparece una copa envenenada, de la cual, cuando el santo hizo sobre ella la señal de la cruz, salió una serpiente. Un enemigo celoso intentó envenenarlo dándole una hogaza de pan envenenada, mas al pretender comérsela se la llevó un cuervo (estos detalles aparecen en la medalla). Arriba de la cruz aparecen las palabras Crux sanctis patris Benedicti.

En estos nueve días de oración, pide esta gracia a Dios Padre, para que a la hora de tu muerte, Dios te asista en compañía de san Benito.

Frases del reverso:

Letras a los cuatro lados de la cruz: C. S. P. B.

Crux Sancti Patris Benedicti.

Cruz del padre san Benito.

En el palo vertical: están las iniciales de las palabras de una frase en latín, C.S.S.M.L. *Crux Sa-*

cra Sit Mihi Lux. Que la Cruz Santa Sea Mi Luz.

En el palo horizontal de la cruz tenemos las letras: N.D.S.M.D. En latín: *Non Dráco Sit Mihi Dux.* Que el demonio no sea mi guía.

Alrededor de la medalla están unas letras, empezando por la parte superior hacia la derecha: V.R.S., en latín: *Vade Retro Sátana,* que significa, Apártate Satanás.

Continuando las letras N.S.M.V. En latín: *Numquam Saúde Mihi Vána.* "No me aconsejes cosas vanas"

Continuando las letras alrededor de la medalla: S.M.Q.L. En

latín: *Sunt Mála Quae Libas.* "Es malo lo que me brindas"

Continuando las letras alrededor de la medalla: I.V.B. En latín, *Ipse Venéna Bibas.* "Bebe tú mismo tu veneno".

En la parte superior dice PAX IESUS o simplemente PAX.

Entonces, la cruz de Cristo es victoria sobre el mal, tu fiel guía es Cristo y no Satanás, rechaza siempre el veneno del mal y la maldad del demonio.

Cristiano quiere decir, seguidor de Cristo. Cristo está unido a la cruz como signo de triunfo sobre el mal; la cruz de san Benito es la de Cristo que triunfó sobre el mal y tú también debes hacerlo, puesto que es un compromiso que adquiriste desde tu bautismo.

Recuerda las palabras pronunciadas el día de tu bautismo; aunque eras pequeño tus padres y padrinos lo hicieron por ti:

¿Renuncias a Satanás?
Sí, renuncio.

¿Renuncias a todas sus obras?
Sí, renuncio.

¿Renuncias a todas sus seducciones?
Sí, renuncio.

¿Crees en Dios, Padre todopoderoso, creador del cielo y de la tierra?

Sí, creo.

¿Crees en Jesucristo, su Hijo único y Señor nuestro, que nació de la Virgen María, padeció y murió por nosotros, resucitó y está sentado a la derecha del Padre?

Sí, creo.

¿Crees en el Espíritu Santo, en la santa Iglesia católica, en la comunión de los santos, en el perdón de los pecados, en la resurrección de los muertos y en la vida eterna?

Sí, creo.

Oración: Que Dios todopoderoso, Padre de nuestro señor Jesucristo, que nos liberó del pecado y nos ha hecho renacer por el agua y el Espíritu Santo, nos conserve con su gracia unidos a Jesucristo nuestro Señor, hasta la vida eterna. Amén.

Si tienes al alcance agua bendita, haz la señal de la cruz sobre tu persona recordando tu bautismo en el nombre del + Padre, del + Hijo y del + Espíritu Santo. Amén.

Bendición de la medalla

En general la bendición la hacen los Padres Benedictinos, pero no necesariamente.

El sacerdote al bendecir la imagen, pide a Dios para:

– Que aleje de ti el poder del diablo que te divide, te aparta de Dios y del bien.

– Que te conserve la salud y te cuide de los peligros y acechanzas del mal.

– Que te conceda la santidad de vida cristiana.

– Que evites las tentaciones del mal rechazándolo, siendo precavido.

– Que cumplas siempre la voluntad de Dios.

Bendición

Sacerdote: Nuestra ayuda nos viene del Señor.

R. Que hizo el cielo y la tierra.

Te ordeno, espíritu del mal, que reconozcas como hijo de Dios a quien llevará esta medalla, reconozcas que fue hecho a su imagen y semejanza. Nunca te atrevas intentar a entrar en él porque el único que puede hacerlo es su dueño, el mismo Dios que es Padre, Hijo y Espíritu Santo que hizo el cielo y la tierra, el mar y todo lo que en ellos se contiene.

Señor Dios Padre, que desaparezcan y se alejen de quien lleve esta medalla toda la fuerza del mal, todo poder del demonio, sus ataques, a fin de que quien la use goce de salud del alma y del cuerpo.

Invocamos la presencia del Padre Creador y de su Hijo, nuestro Señor y Salvador, y del Espíritu Santo Paráclito santificador.

Oremos:

Dios omnipotente, dador de todos los bienes, te suplicamos humildemente que por la intercesión de nuestro padre san Benito, infundas tu bendición sobre este hijo tuyo que llevará la medalla del santo patriarca, a fin de que dedicándose a las buenas obras, merezca conseguir la salud del alma y del cuerpo, la gracia de la santificación y todas las indulgencias que se otorgan y con la ayuda de tu gracia se esfuerce en evitar las acechanzas y engaños del demonio y merezca así aparecer santo y limpio en tu presencia. En tu nombre, Señor, bendecimos a este hijo tuyo y a esta medalla: en el nombre del + Padre, del + Hijo y del + Espíritu Santo.

R. Amén.

"Que a la hora de nuestra muerte nos proteja tu presencia"

(Palabras que rodean la figura de san Benito)

Palabra de Dios

"Y dijo Dios: Hagamos al hombre a nuestra imagen y semejanza; que ellos dominen sobre los peces del mar, las aves del cielo, los animales domésticos y todos los reptiles. Y Dios creó al hombre a su imagen; a imagen de Dios lo creó; varón y mujer los creó" (Gén 1, 26-27).

Reflexión:

Tu hermano nunca es un rival, ni un candidato a serlo, sino que es un hijo de Dios hecho a su imagen y semejanza, que quiere caminar contigo hacia la felicidad que les ofrece Dios a través de Jesucristo; por lo tanto, tienen la misma dignidad divina. Nunca se atrevan a hacerse daño, porque se convertirían en instrumentos del mal.

Oración:

Señor Jesús, concédeme el don de llevar una vida cristiana conforme a tu voluntad, para que al final sea tu felicidad mi herencia y merezca tus palabras: "pasa bendito de mi Padre, a gozar del reino que te tengo preparado para ti desde toda la eternidad", porque siempre me cuidaste y amaste en cada uno de mis hermanos, porque en ellos siempre viste mi presencia. Amén.

Oración para pedir una gracia:

Señor Jesús, que dijiste: "Cualquier cosa que pidan al Padre en mi nombre él se la concederá"; pido al Padre Celestial, por tu intercesión y la invocación de san Benito, que lleve una vida conforme a tu voluntad, que sanes a los enfermos de mi familia, alejes de mí y de mi familia todo mal y peligro del cuerpo y del espíritu; danos fuerzas para aceptar y difundir el bien y rechazar el mal. Te pido también que me concedas una vida santa para merecer tu protección y tu presencia en el momento de mi muerte.

Señor Jesús, por intercesión de san Benito, te pido por el honor de tu nombre y de tu santa cruz que presentes al Padre la gracia que ardientemente pido con fe *(se dice el favor que se quiere recibir)*. Amén.

De la biografía de san Benito

"Sus padres lo enviaron a estudiar a Roma, pero "él al ver que muchos iban por los caminos escabrosos del vicio, retiró su pie, que apenas había pasado el umbral del mundo, temeroso de que por alcanzar algo del saber, cayera también él en tan horrible precipicio y, deseando agradar únicamente a Dios, buscó el hábito de la vida monástica".

San Gregorio Magno

Oración final:

Señor Jesús, por la santa cruz de san Benito y su oración, intercede ante el Padre Celestial, para que me conceda la gracia de una vida que camine hacia la santidad según tu evangelio; sea una alabanza al Padre, al Hijo y al Espíritu Santo; triunfe sobre las seducciones del demonio, conserve mi gracia bautismal y así pueda gozar al final de mi vida de tu reino que tienes preparado para quienes nos presentemos dignos. Amén.

Tres Padrenuestros, Avemarías y Gloria al Padre... por las intenciones del Papa.

"Cruz Santa del Santo Padre Benito"

(Letras: C.S.P.B.)

Palabra de Dios

"Volvieron los setenta y dos muy contentos y dijeron: Señor, en tu nombre hasta los demonios se nos sometían. Les contestó: Estaba viendo a Satanás caer como un rayo del cielo. Miren, les he dado poder para pisotear serpientes y escorpiones y para vencer toda la fuerza del enemigo y nada los dañará. Con todo, no se alegren de que los espíritus se les sometan, sino de que sus nombres están inscritos en el cielo" (Lc 10, 17-21).

Reflexión:

El testimonio cristiano, con la vida y con el anuncio de la Palabra de Dios, es la única garantía de que no entrarán en tu corazón tantas ideologías superficiales y pecados que circulan en la sociedad, que sólo destruyen hogares y personas.

Oración:

Señor Jesús, que recibiste con alegría a tus discípulos porque te contaban que "hasta los demonios se les sometían", acéptame entre tus discípulos para que también yo pueda contarte que hasta los demonios se me someten, porque me has dado el poder de pisotear las serpientes sociales de hoy que tanto daño hacen a mis hermanos. Amén

Oración para pedir una gracia (pág. 30).

De la biografía de san Benito

"En cierta ocasión san Benito iba a orar y se encontró al demonio en figura de veterinario. El santo le preguntó hacia dónde se dirigía; hacia el convento, fue la respuesta. Al encontrar a un fraile anciano sacando agua el demonio entró en él hasta arrojarlo por tierra. Cuando regresaba san Benito encontró al fraile en tal estado, bastó una cachetada dirigida al demonio para que saliera de él".

San Gregorio Magno

Oración final:

Señor Jesús, por tu pasión y tu entrega en la cruz, expresión máxima de tu amor, que me dio la vida ofreciéndote en el altar plantado en el calvario, no permitas que después de tu triunfo sobre el pecado, regrese a mis esclavitudes echando a perder tu misión redentora y la oración que san Benito continúa realizando en tu reino. Señor Jesús, por tu cruz y resurrección y la oración del santo patriarca, hoy decido utilizar mi libertad para hacer sólo el bien y anunciar tu evangelio con mi testimonio, para que en esta sociedad sean más y más los frutos de tu pasión y cruz. Amén.

Tres Padrenuestros, Avemarías y Gloria al Padre... por las intenciones del Papa.

"Que la Santa Cruz sea mi luz"

*(Palabras del palo vertical.
Letras: C.S.S.M.)*

Palabra de Dios

"Porque si en un tiempo eran tinieblas, ahora son luz por el Señor: vivan como hijos de la luz –toda bondad, justicia y verdad es fruto de la luz–. Sepan discernir lo que agrada al Señor. No participen en las obras estériles de las tinieblas, al contrario denúncienlas" (Efesios 5, 8-11).

Reflexión:

Injerta la semilla de la Palabra de Dios en tu corazón, cuídala y déjala crecer y déjala que brille en la sociedad porque es el Reino de Dios que está en ti que servirá de guía y luz para tus hermanos; de otra forma serás uno más en las tinieblas sociales. Brilla en la sociedad por tu rectitud aunque sólo te ofrezca tinieblas y muerte y tengas que luchar contra viento y marea.

Oración:

Señor Jesús, danos la fuerza de ser tu luz y vida en la sociedad, recordando tus palabras: "una luz no se coloca debajo de la cama, sino encima de la mesa para que ilumine" y desaparezcan las tinieblas. Concédenos la gracia de ser siempre luz transformadora de vida, en una sociedad que ofrece tinieblas y muerte; danos la gracia de mantenernos firmes en tu verdad y rectitud ante cualquier oferta de oscuridad o muerte. Amén.

Oración para pedir una gracia (pág. 30).

De la biografía de san Benito

"Cierto día, mientras el hombre de Dios había salido con sus monjes a las labores del campo, llegó al monasterio un campesino llevando en brazos el cuerpo de su hijo muerto; y estando fuera de sí por el dolor de tamaña pérdida, preguntó por el abad Benito. Cuando se le contestó que el abad estaba en el campo con los monjes, dejó a la puerta del monasterio el cuerpo de su hijo difunto y, trastornado por el dolor, comenzó a correr en busca del venerable abad. Pero entonces regresaba ya el hombre de Dios del trabajo del campo con sus monjes. Apenas le divisó el campesino, comenzó a gritar: '¡Devuélveme a mi hijo! ¡Devuélveme a mi hijo!' Al oír estas palabras se detuvo el hombre de Dios y le dijo: '¿Es que te he quitado yo a tu hijo?' A lo que respondió aquél: 'Ha muerto; ven y resucítale'. Al oír esto el siervo de Dios, se entristeció sobremanera y dijo: 'Retírense, hermanos, retírense, que estas cosas no son para nosotros; son propias de los santos Apóstoles. ¿Por qué quieren imponernos cargas que no podemos llevar?' Pero el campesino, abrumado por el dolor, persistía en su demanda, jurando que no se había de ir si no resucitaba a su hijo. Entonces el siervo de Dios preguntó:

'¿Dónde está?' Él le respondió: 'Su cuerpo yace junto a la puerta del monasterio'. Llegado que hubo allí el hombre de Dios con sus monjes, dobló las rodillas y se echó sobre el cuerpecito del niño, luego se levantó y alzando las manos al cielo dijo: 'Señor, no mires mis pecados, sino la fe de este hombre que pide que se le resucite a su hijo, y devuelve a este cuerpecito el alma que le has quitado'. Apenas había acabado de decir las palabras de esta oración, cuando volvió el alma al cuerpo del niño, estremeciéndose éste de tal modo, que quedó bien patente a los ojos de todos que aquel cuerpo se había agitado conmovido por una sacudida maravillosa. Tomó entonces al niño de la mano y vivo y sano lo entregó a su padre".

San Gregorio Magno

Oración final:

Señor Jesús, tu cruz es una luz y vida que brilla en el horizonte de mi existencia, porque es luz y vida que emana de tu cruz; es mensaje de amor, de redención, entrega y perdón; es luz y vida que me pide conversión y buen camino. Tu sangre, tus llagas, los azotes, las espinas, tu cruz, tu cabeza inclinada, tu corona son para mí una lección de amor, porque "nadie tiene más amor que quien da la vida por su amigo". Intercede ante el Padre celestial, y por la oración del patriarca san Benito, para que la luz de tu entrega en la cruz sea la guía de mi vida cristiana y protección contra las acechanzas del maligno. Amén.

Tres Padrenuestros, Avemarías y Gloria al Padre... por las intenciones del Papa.

"Que el demonio no sea mi guía"

(Palabras escritas en el palo horizontal. Letras: N.D.S.M.D.)

Palabra de Dios

"La serpiente era el animal más astuto de cuantos el Señor Dios había creado; y entabló conversación con la mujer: –¿Conque Dios les ha dicho que no coman de ningún árbol del jardín? La mujer le contestó a la serpiente: –¡No! Podemos comer de todos los árboles del jardín; solamente del árbol que está en medio del jardín nos ha prohibido Dios comer o tocarlo, bajo pena de muerte. La serpiente replicó: –¡No, nada de pena de muerte! Lo que pasa es que Dios sabe que cuando ustedes coman de este árbol, se les abrirán los ojos y serán como Dios, conocedores del bien y del mal. Entonces la mujer cayó en la cuenta de que el árbol tentaba el apetito, era una delicia de ver y deseable para adquirir conocimiento. Tomó la fruta del árbol, comió y se la convidó a su marido, que comió de ella" (Gén 3, 1-7).

Reflexión:

Remueve de tu interior los obstáculos que asfixian la Palabra de Dios y no la dejan germinar, porque el único fruto será la mentira o los auto engaños cotidianos que te ofrece la sociedad. Permite que la Palabra de Dios vaya posesionándose de tu interior y entonces la verdad estará siempre en tu corazón y en tus palabras. Mantente firme en los principios cristianos que te proporciona la Palabra de Dios, porque es un síntoma de coherencia y fidelidad a Cristo.

Oración:

Señor Jesús, la presencia del mal acompaña al ser humano y con frecuencia logra lo que quiere. Dame la fuerza de saber discernir lo bueno y lo que daña, ver con claridad la oferta que degrada, que sólo ofrece una felicidad efímera de grandeza, y concédeme la gracia de saber rechazar las ofertas del mal, porque eso sería hacer paréntesis dañinos y lamentables en mi vida cristiana. Amén.

Oración para pedir una gracia (pág. 30).

De la biografía de san Benito

"En esto empezó el hombre de Dios a tener también espíritu de profecía, prediciendo sucesos futuros y revelando a los presentes cosas que sucedían lejos.

Era costumbre en la abadía, que cuando los monjes salieran a hacer alguna diligencia, no comieran ni bebieran fuera del monasterio. Este punto de la observancia se guardaba escrupulosamente, según lo establecido por la Regla. Un día salieron unos monjes a cumplir cierto encargo, en el que estuvieron ocupados hasta muy tarde. Y como conocían a cierta piadosa mujer, entraron en su casa y tomaron alimento. Llegaron muy tarde al monasterio y, según la costumbre, pidieron la bendición al abad. Éste les interpeló al punto diciendo: "¿Dónde han comido?" "En ninguna parte", respondieron ellos. Pero él les reprochó: "¿Por qué mienten de ese modo? ¿Acaso no entraron en casa de tal mujer y comieron allí tal y tal cosa y bebieron tantas veces?" Cuando vieron que el venerable abad les iba refiriendo la hospitalidad de la mujer, la clase de manjares que habían comido y el número de veces que habían bebido, reconocieron todo lo que habían hecho, y temblando cayeron a sus pies y confesaron su culpa. Pero él al instante los perdonó, creyendo que en adelante no volverían a hacer semejante cosa, pues sabían que, aun ausente, les estaba presente en espíritu".

San Gregorio Magno

Oración final:

Señor Jesús, por los infinitos méritos de tu entrega en la cruz y la oración del patriarca san Benito abad, rechazaré con decisión y sin contemplaciones las sugerencias de pecado que el maligno intente hacerme, a través de situaciones o personas. Por la salvación que me has alcanzado por tu pasión y cruz, nunca permitiré que el demonio sea mi guía. Señor, tú conoces mi fragilidad y sabes que no puedo confiar en mis fuerzas, por eso dame tu gracia que eso sólo me basta. Amén.

Tres Padrenuestros, Avemarías y Gloria al Padre... por las intenciones del Papa.

"¡Apártate, satanas!"

(Palabras del círculo que custodia la cruz iniciando de la parte superior hacia la derecha, letras: V.R.S.)

Palabra de Dios

"De nuevo se lo llevó el Diablo a Jesús a una montaña altísima y le mostró todos los reinos del mundo en su esplendor, y le dijo: –Todo esto te lo daré si te postras para adorarme. Entonces Jesús replicó: –¡Aléjate, Satanás! Que está escrito:

Al Señor tu Dios adorarás, a él solo darás culto" (Mt 4, 8-10).

Reflexión:

Quien vive el estilo de Jesús en su obediencia al Padre, cumpliendo su voluntad, corre menos riesgos de equivocarse en la vida. El cristiano no puede quedarse añorando lo material ofrecido por el consumismo social, la sensualidad o los frutos del relativismo; debe buscar las cosas de lo alto. Evalúa tu vida cristiana y sigue los principios del evangelio y tendrás equilibrio humano, cristiano y social y un camino de santidad.

Oración:

Señor Jesús, la búsqueda del placer y el bienestar material invade mi vida, la invitación que la sociedad me presenta en general no tiene nada de tu espíritu y está llevando a la sociedad a consumir sin medida, no importando el hambre del vecino o mi felicidad eterna. Dame la gracia de vivir una vida sencilla, fraternal, solidaria en el amor, en el servicio y en la transparencia que consolide tu presencia en mi vida. San Benito, intercede a Dios para que el equilibrio cristiano sea mi identidad. Amén.

Oración para pedir una gracia (pág. 30).

De la biografía de san Benito

"En aquel tiempo en que el hambre afligía gravemente la región de la Campania, el hombre de Dios distribuyó entre los pobres cuanto había en el monasterio, hasta el punto de no quedar apenas nada en la despensa, fuera de un poco de aceite en una vasija de cristal. Llegó al monasterio un subdiácono, por nombre Agapito, pidiendo con insistencia que le diesen un poco de aceite. El hombre de Dios, que se había propuesto darlo todo en la tierra para encontrarlo todo en el cielo, ordenó dar al demandante aquel poco de aceite que quedaba. Pero el monje encargado de la despensa, aunque oyó perfectamente la orden, hizo oídos sordos a la misma. Poco después, preguntó el abad si había dado lo que le había mandado. Respondió que no había dado el aceite, porque de haberlo hecho no habría quedado nada para los monjes. Airado entonces el santo, mandó a otros monjes que arrojasen por la ventana aquella vasija de cristal que contenía un poco de aceite, para que en el monasterio no se guardara nada contra la obediencia. Así se hizo. Debajo de la ventana había un gran precipicio erizado de enormes rocas. Arrojada, pues, la vasija de cristal, cayó sobre las rocas, pero permaneció tan sana como si no la hubieran lanzado; de tal manera que ni se rompió ni se derramó el aceite. Entonces el hombre de Dios mandó subirla y entera como estaba entregarla al subdiácono".

San Gregorio Magno

Oración final:

Señor Jesús, con toda la fuerza que me da mi ser de hijo de Dios, consciente de que soy hecho a su imagen y semejanza y templo del Espíritu Santo, don recibido el día de mi bautismo en la Iglesia católica y en plena libertad de mis facultares le digo al maligno: "apártate para siempre de mí", pues los méritos de Jesús me han rescatado del mal y del pecado. Prometo rechazar siempre toda manifestación de egoísmo y codicia y mantenerme firme en mi decisión de santidad cristiana, y sólo seguir las inspiraciones del Espíritu Santo. Amén.

Tres Padrenuestros, Avemarías y Gloria al Padre... por las intenciones del Papa.

“No me aconsejes cosas vanas”

(Palabras de la cruz de la parte superior. Letras: N.S.M.V.)

Palabra de Dios

“A partir de entonces Jesús comenzó a explicar a sus discípulos que debía ir a Jerusalén, padecer mucho por causa de los ancianos, sumos sacerdotes y letrados, sufrir la muerte y al tercer día resucitar. Pedro se lo llevó aparte a reprenderlo. –¡Dios no lo permita, Señor! No te sucederá tal cosa. Él se volvió y dijo a Pedro: –¡Aléjate, Satanás! Quieres hacerme caer. Piensas como los hombres, no como Dios" (Mt 16, 21-23).

Reflexión:

La vida es una lucha contra ti mismo, eres humano y tienes errores, también contra el mal que te viene del exterior, pero por ser cristiano no te está permitido permanecer indiferente, cuentas con Cristo quien siempre te tiende la mano si tú así lo deseas. Abre tu corazón y pide la ayuda divina; desecha las actitudes que son contrarias al espíritu de Dios. Esto te hará mucho bien.

Oración:

Señor Jesús, el espíritu de soberbia, de grandeza, con frecuencia me acompaña. Me siento superior y mejor que muchos de mis hermanos y lo expreso denigrándolos, humillándolos y hasta excluyéndolos. San Benito, tú sabes que este espíritu viene del demonio, intercede ante Jesús para que deseche este espíritu del mal, porque son contrarios al proyecto de Dios. Amén.

Oración para pedir una gracia (pág. 30).

De la biografía de san Benito

"En otra ocasión, mientras el venerable abad tomaba su alimento hacia el atardecer, cierto monje, hijo de un abogado, le sostenía la lámpara delante de la mesa. Y mientras el hombre de Dios comía y él le alumbraba, comenzó a pensar y decir secretamente en su interior: '¿Quién es éste para que yo tenga que servirle y sostenerle la lámpara mientras come? ¿Y siendo yo quien soy, he de servirle?' Al punto, dirigiéndose a él el hombre de Dios, comenzó a increparle ásperamente, diciéndole: '¡Santigua tu corazón, hermano!

¿Qué es lo que estás pensando? ¡Santigua tu corazón!' Inmediatamente llamó a los monjes, mandó que le quitasen la lámpara de sus manos, y a él le ordenó que cesara en su servicio y se sentara. Preguntado luego por los monjes qué es lo que había pensado, les contó prolijamente cómo se había envanecido por espíritu de soberbia y lo que había dicho interiormente en su pensamiento contra el hombre de Dios. Con esto, todos vieron claramente que nada podía ocultarse al venerable Benito, pues había percibido hasta un simple discurso mental".

San Gregorio Magno

Oración final:

Señor Jesús, dame la fuerza de saber comprender, amar y orientar con el testimonio de mi vida cristiana a quienes intenten inducirme al pecado a través de invitaciones vanas y dañinas que pudieran terminar en la degradación humana y cristiana; dame el espíritu de humildad y sencillez para que también hagas en mí maravillas, dame fuerza de tu Espíritu para saber orientar la soberbia hacia la humildad y hacia la conversión cristiana desechando las propuestas vanas. Amén.

Tres Padrenuestros, Avemarías y Gloria al Padre... por las intenciones del Papa.

"Es malo lo que me brindas"

*(Palabras de la cruz parte superior.
Letras: S.M.Q.L.)*

Palabra de Dios

"...Los que están junto al camino donde se siembra la Palabra son los que en cuanto la escuchan, llega Satanás y se lleva la Palabra sembrada en ellos. Otros son como lo sembrado en terreno pedregoso: cuando escuchan la Palabra, la reciben con gozo; pero no tienen raíces, son inconstantes. Llega una tribulación o persecución por causa de la Palabra, e inmediatamente fallan. Otros son como la semilla que cae entre espinos: escuchan la Palabra, pero las preocupaciones del mundo, la seducción de las riquezas y los demás deseos ahogan la Palabra y no dan fruto. Y otros son lo sembrado en tierra fértil: escuchan la Palabra, la reciben y dan fruto al treinta o sesenta o ciento por uno" (Mc 4, 14-20).

Reflexión:

Sé fiel a la Palabra de Dios aun en los momentos en que sientas que lo has perdido todo. Su Palabra te da firmeza para continuar luchando por la causa de Cristo. No permitas que nada ni nadie te arrebate lo que a diario Dios siembra en tu corazón, no permitas que nada ni nadie siembre en ti la semilla de la discordia y la inmoralidad. Sólo así serás resurrección para los que te rodean, siendo amable, sencillo, comprensible y sobre todo, la presencia de Dios.

Oración:

Señor Jesús, la vida es sencilla porque tú eres su origen, pero parece que algunos en la sociedad nacimos para complicarla o destruirla. Con frecuencia lo que brindo es superficialidad, incoherencia, lejanía de tu Iglesia y de tu evangelio. Espero que nunca alguien me diga "es malo lo que tú me brindas" y tengan que alejarse de mí por ser la presencia del mal. Dame la gracia, Padre Bueno, por intercesión del patriarca san Benito, de quitar de mi mente todo aquello que atropelle la vida cristiana y alejarme de las personas que quieran brindarme principios de incoherencia y así detener la presencia del mal en mi vida. Amén.

Oración para pedir una gracia (pág. 30).

De la biografía de san Benito

"En uno de aquellos monasterios fundados por él, había un monje que no podía permanecer en oración, sino que no bien los monjes se disponían a orar, él salía fuera del oratorio y se entretenía en cosas terrenas y fútiles. Después de haber sido amonestado repetidamente por su abad, finalmente fue enviado al hombre de Dios, quien a su vez le reprendió ásperamente por su necedad. Vuelto al monasterio, apenas hizo caso un par de días de la corrección del hombre de Dios, pero al tercer día volvió a su antigua conducta y comenzó de nuevo a divagar durante el tiempo de la oración. Habiéndolo comunicado al hombre de Dios, el abad que él mismo había puesto en el monasterio, dijo: 'Iré y le corregiré personalmente'. Fue el hombre de Dios al monasterio, y cuando a la hora señalada, concluida ya la salmodia, los monjes se ocuparon en la oración, vio cómo un chiquillo arrastraba hacia fuera por el borde del vestido a aquel monje que no podía estar en oración. Entonces dijo secretamente a Pompeyano, el abad del monasterio, y al monje Mauro: '¿No ven quién es el que arrastra fuera a este monje?' 'No', le respondieron. 'Oremos, pues, para que también ustedes puedan ver a quién sigue este monje'.

Después de haber orado dos días, Mauro lo vio, pero Pompeyano, el abad del monasterio, no pudo verlo. Al tercer día, concluida la oración, al salir del oratorio el hombre de Dios encontró a aquel monje fuera. Y para curar la ceguera de su corazón le golpeó con su bastón, y desde aquel día no volvió a sufrir más engaño alguno de aquel chiquillo y perseveró constante en la oración. Así, el antiguo enemigo, como si él mismo hubiera recibido el golpe, no se atrevió en adelante a esclavizar la imaginación de aquel monje".

San Gregorio Magno

Oración final:

Señor Jesús, creo que moriste por mis pecados en la cruz para darme la vida y vida en abundancia, y creo que me acompañas en mi camino hacia el Padre y su reino, por eso hoy en estos nueve días de oración, en compañía del patriarca san Benito abad, te pido la luz para saber distinguir la maldad que el maligno me ofrece, vencer la tentación de seguirlo y aunque me fascine la oferta, saber decirle con decisión: "es malo lo que tú me ofreces", no te necesito. Señor Jesús, por tu muerte y resurrección protégeme, cuídame y dame tu gracia para continuar en el bien y seguir amándote por toda la eternidad. Amén.

Tres Padrenuestros, Avemarías y Gloria al Padre... por las intenciones del Papa.

"Bebe, tu mismo veneno"

(Palabras de la cruz en la parte superior. Letras: I.V.B.)

Palabra de Dios

"Pero los fariseos al oírlo dijeron: –Éste expulsa los demonios con el poder de Belcebú, jefe de los demonios. Él, leyendo sus pensamientos, les dijo: –Un reino dividido internamente va a la ruina; una ciudad o casa dividida internamente no se mantiene en pie. Si Satanás expulsa a Satanás, ¿cómo se mantendrá su reino? Si yo expulso demonios con el poder de Belcebú, ¿con qué poder los expulsan los discípulos de ustedes? Pero si yo expulso los demonios con el Espíritu de Dios, es que ha llegado a ustedes el reino de Dios" (Mt 12, 24-28).

Reflexión:

Busca la forma de acabar con esa cultura que en todo ve la presencia del mal, la degradación y lo perverso sólo porque el pensamiento es diferente al tuyo. Con frecuencia existe la perversidad, esa cultura no tiene nombre en esta vida y también debes evitarla; me refiero a la cultura que en todo ve el mal.

Debes ir en contra de las dos mentalidades porque degradan el ambiente cristiano. Anuncia a Cristo Jesús con tus palabras y con la vida.

Oración:

Señor Jesús, difundir el bien, la vida y tu mensaje se vuelve cada día más complicado por la presencia de la cultura agresiva contra la vida y el bien. Concédeme la gracia de saber decir con decisión, amabilidad y respeto a quien intente quitarme tu presencia y tu mensaje: "Bebe tú mismo tu veneno", así el mal retrocederá y tú Jesús que eres el Camino, la Verdad y la Vida, ganarás terreno en esta sociedad que intenta excluirte. Amén.

Oración para pedir una gracia (pág. 30).

De la biografía de san Benito

"No lejos de allí, había un monasterio cuyo abad había fallecido, y todos los monjes de su comunidad fueron adonde estaba el venerable Benito y con grandes instancias le suplicaron que fuera su prelado. Durante mucho tiempo no quiso aceptar la propuesta, pronosticándoles que no podía ajustarse su estilo de vida al de ellos, pero al fin, vencido por sus reiteradas súplicas, dio su consentimiento. Instauró en aquel monasterio la observancia regular, y no permitió a nadie desviarse como antes, por actos ilícitos, ni a derecha ni a izquierda del camino de la perfección. Entonces, los monjes que había recibido bajo su dirección, empezaron a acusarse a sí mismos de haberle pedido que les gobernase, pues su vida tortuosa contrastaba con la rectitud de vida del santo.

Viendo que bajo su gobierno no les sería permitido nada ilícito, se lamentaban de tener que, por una parte, renunciar a su forma de vida; y por otra, haber de aceptar normas nuevas con su espíritu envejecido. Y como la vida de los buenos es siempre inaguantable para los malos, empezaron a tratar de cómo le darían muerte. Después de tomar esta decisión, echaron veneno en su vino. Según la costumbre del monasterio, fue presentado al abad, que estaba en la mesa, el jarro de cristal que contenía aquella bebida envenenada, para que lo bendijera; Benito levantó la mano y trazó la señal de la cruz. Y en el mismo instante, el jarro que estaba algo distante de él, se quebró y quedó roto en tantos pedazos, que más parecía que aquel jarro que contenía la muerte, en vez de recibir la señal de la cruz hubiera recibido una pedrada. En seguida comprendió el hombre de Dios que aquel vaso contenía una bebida de muerte, puesto que no había podido soportar la señal de la vida. Al momento se levantó de la mesa, reunió a los monjes y con rostro sereno y ánimo tranquilo les dijo:

‘Que Dios todopoderoso se apiade de ustedes, hermanos. ¿Por qué quisieron hacer esto conmigo? ¿Acaso no se los dije desde el principio que mi estilo de vida era incompatible con el de ustedes? Vayan a buscar un abad de acuerdo con su forma de vivir, porque en adelante no podrán contar conmigo’”.

San Gregorio Magno

Oración final:

Señor Jesús, por el honor de tu nombre y la oración de nuestro padre san Benito, abad, y por tus infinitos méritos de tu cruz, muerte y resurrección, dame la gracia de beber siempre de tu Verdad que me salva, de tu Palabra que me orienta en el camino del bien y del amor, y en la fuente de tu presencia eucarística que me transforma. Señor Jesús, si el maligno se presenta con propuestas de pecado, concédeme la gracia de saber decirle: "bebe tú mismo tu veneno". Sólo así gozaré la gracia de mi bautismo. Amén.

Tres Padrenuestros, Avemarías y Gloria al Padre... por las intenciones del Papa.

Paz - (Jesús)
(Palabra de la parte superior de la cruz. PAX, en las más antiguas, JESÚS)

Palabra de Dios

"La paz les dejo, les doy mi paz, y no como la da el mundo. No se inquieten ni se acobarden. Ya no hablaré mucho con ustedes, porque está llegando el príncipe del mundo. No tiene poder sobre mí, pero el mundo tiene que saber que yo amo al

Padre y hago lo que el Padre me encargó. ¡Levántense! Vámonos de aquí" (Jn 14, 27-30).

Reflexión:

Que tu paso por este mundo, tu modo de proceder sea el reflejo de la gracia divina que recibes en los sacramentos. Que tu vida sea una manifestación verdadera del amor de Dios, para que llegues al final de tu existencia contemplando su gloria y la santidad de tus hermanos. No permitas que tus obras pierdan el reflejo divino, haz lo posible e imposible para que esto sea una realidad hasta al final de tus días.

Oración:

Te pido, Señor Jesús, que al final de mis días tú mismo me digas en el umbral de la vida plena: "ven bendito de mi Padre a poseer el reino que te tengo preparado para ti desde toda la eternidad, porque tuve hambre y me diste de comer, tuve sed y me diste de beber, estuve desnudo y me vestiste, en la cárcel o enfermo y me visitaste". Amén.

Oración para pedir una gracia (pág. 30).

De la biografía de san Benito

"En el mismo año que había de salir de esta vida, anunció el día de su santísima muerte a algunos de los monjes que vivían con él y a otros que estaban lejos; a los que estaban presentes les recomendó que guardaran silencio de lo que habían oído y a los ausentes les indicó la señal que les daría cuando su alma saliera del cuerpo.

Seis días antes de su muerte mandó abrir su sepultura. Pronto fue atacado por la fiebre y comenzó a fatigarse a causa de su violento ardor. Como la enfermedad se agravaba cada día más, al sexto día se hizo llevar por sus discípulos al oratorio, donde, confortado para la salida de este mundo con la recepción del cuerpo y la sangre del Señor y apoyando sus débiles miembros en las manos de sus discípulos, permaneció de pie con las manos levantadas al cielo y exhaló el último suspiro, entre palabras de oración.

En el mismo día, dos de sus monjes, uno que vivía en el mismo monasterio y otro que estaba lejos de él, tuvieron una misma e idéntica visión. Vieron en efecto un camino adornado de tapices y resplandeciente de innumerables lámparas, que en dirección a Oriente iba desde su monasterio al cielo. En la parte superior del camino, un hombre de aspecto venerable y lleno de luz les preguntó si sabían qué camino era el que estaban viendo. Al contestarle ellos que lo ignoraban, les dijo: 'Éste es el camino por al cual el amado del Señor, Benito, ha subido al cielo'. Así, pues, los presentes vieron la muerte del santo varón y los ausentes la conocieron por la señal que les había dado.

Fue sepultado en el oratorio de San Juan Bautista, que él mismo había edificado sobre el destruido altar de Apolo. Y tanto aquí como en la cueva de Subiaco, donde antes había habitado, brilla hasta el día de hoy por sus milagros, cuando lo merece la fe de quienes los piden".

San Gregorio Magno

Oración final:

Jesucristo se ofrece al Padre con libertad y amor por sus hermanos; muere para ser nuestra vida aquí en la tierra, mediante la gloria. La justicia y la misericordia se abrazan; el Padre en Cristo se reconcilia con el hombre; el paraíso vuelve a abrirse y todos están invitados a entrar en él.

¡Bendito seas, Jesucristo, sacerdote y ofrenda!

En ti está la salvación, la resurrección y la vida.

Tu sangre es fuente de salvación: ¡Derrámala sobre mí y lávame!

¡Que caiga sobre el mundo, lo purifique y lo salve! Amén.

Tres Padrenuestros, Avemarías y Gloria al Padre... por las intenciones del Papa.

Petición:

San Benito, abad, al finalizar estos nueve días de oración en tu honor, te pido que intercedas por mi familia, por mi salud, que nunca falte el pan en mi mesa, y que nunca el maligno me venza o me oriente por mal camino. Con tu oración y tu intercesión entraré en el paraíso para amar a Dios por toda la eternidad. Así sea.

San Benito murió el 21 de marzo del año 547. Celebramos su fiesta el 11 de julio.

ÍNDICE

Se terminó de imprimir en los talleres de EDITORIAL ALBA, S.A. DE C.V. Calle Alba 1914, San Pedrito, Tlaquepaque, Jal. el 10 de agosto de 2015. Se imprimieron 3,000 ejemplares, más sobrantes para reposición.